晨讀10分鐘

【小學生】

用成語，學寫作 上

小日記、週記篇

撰寫——李宗蓓

一作者序一

用成語，學寫作，方法對了就是這麼簡單

文／李宗蓓

這是一本「簡單」的寫作書，希望孩子們學到的是：用成語，寫作文，我也會。

這套書從學生最常寫作的一百多字小日記開始，到三百多字的生活週記，再到六百字的作文。從描寫一天發生的事情和心情感受，到記錄一週特別的活動或體會。從看到的事物，到內心的感受，再進一步思考或想像，寫出清楚達意的作文。

對學生來說，在寫小日記、週記或作文時，兩大疑問常是「寫什麼」和「怎麼寫」？每篇的「寫作提示」和「引導發想」就是在引導孩子如何從日常生活的經驗和成長學習的過程中，找尋題材和靈感。寫作不是一定要寫大題目或是說道理，觀察一件小事，感受一個情緒，細膩或有趣的描寫出來，內容一樣精采。

「參考範文」的部分，寫作上以孩子的想法和語氣為主，難度中等，貼近生活，希望孩子看了後覺得：對！我也有過這樣的經驗、這樣的感受耶，原來可以這樣寫。甚至參考過後，覺得自己可以寫出更多、更好的內容。

家長指導孩子寫作時，也可以運用書中「寫作提示」和「引導發想」的方式，先和孩子聊聊天、問問題，讓孩子說出自己的想法，再請他整理一下寫出來。當孩子發現原來會說就會寫，心裡不被無形的框架和規則束縛時，寫作就變簡單了。而這個從說到寫的過程，也是一個思考整理、自我探索、學習表達的過程。

能「寫好」作文，清楚表達事情的重點和自我的觀點，未來在寫報告或做專題上也是很重要的能力。而從「寫好」作文到寫「好作文」，還是有很多可以練習和提升的地方，其中一個就是使用成語，精鍊用詞，豐富語境。

如果我們從沒有練習過在寫作中使用成語，會有「不知道什麼地方可以用成語」，以及「要用哪一個成語」的困擾。這套書中每篇範文都加入了適量的成語，先讓孩子在閱讀過程中，透過前後連貫的語句，自然而然從文意中學習如何在作文中使用成語，之後當自己要寫作時，可以參考隨書附錄的《成語寫作手冊》，找出適合的成語。

一開始可以先使用「情感類」的成語，因為不論我們寫什麼，自己的心情與想法都是內容的核心，練習把形容情緒的語詞，如：開心、生氣、害怕等，用相關的成語替代。像寫作時常出現「我很開心」、「我好高興」這樣的句子，但如果只會用這一句表達，甚至一篇作文中，重複出現好幾次「開心」、「高興」，就太過平淡缺乏變化；如果改用「手舞足蹈」或「眉開眼笑」，就能把開心的樣子和表情傳達得淋漓盡致，寫作也會變得生動活潑。先從一個、兩個開始，慢慢熟練在寫作時使用成語。

「寫作文」或許只是一時的功課，但好好練習，用心的寫，培養出的「寫作力」是終生受益的。衷心希望每個孩子都能透過閱讀、練習、觀察、思考和感受，善用文字表達自我，成為寫作達人。

推薦文

用主題式引導教學深化成語學習，打造孩子三大面向寫作素養

文／臺南市教育局創思與教學研發中心專任研究教師 彭遠芬

親子天下【晨讀十分鐘】系列近年來不斷推陳出新，用智識含量豐富的方式，為孩子的寫作基本功打下富含文化底蘊的基礎，每每出版除了令人引頸期盼，拿到新書時在翻閱之際，更能深刻感受到策劃編輯的用心。而這一次，我想懇切的向師長們分享這套全新一輯的成語寫作攻略，我們有福了！本套書邏輯清晰的編輯架構，以及恰到好處的內容深度，不論是對師長引導寫作，或者孩子自主索引而言，都是不可多得的好戰友。

《用成語，學寫作》上冊以小日記、週記，下冊以中長篇作文為形式根基，再從心情感受、生活點滴，到課堂學習、環境變化等元素，主題式的引發寫作動機及思想深

度，循序漸進提升孩子的文章質量。師生更可透過依文章必備條件——人、事、時、物編纂之《成語寫作手冊》，啟發孩子自主運用成語的動機，跳脫過去在辭海間搜索枯腸的無力感，拿回創作的主動權。

學生各級評量方式千變萬化，而「作文」儼然變成獨立科目，讓師生均為了與之和平共處，甚至要能優雅共舞而傷透腦筋。寫作教學的方式百花齊放，實在也是因為文學大海無邊無際，使人常徘徊於彷若「學也學不完」的焦慮。有鑑於此，釐清孩子學習寫作的意義，就成了栽入汪洋之前的首要任務——大人和孩子都必須清楚，寫作從來不單是為了應付考試，而是培育人文思想，為生命找到昇華窗口，鍛鍊靈魂的過程。

既然目標明確，寫作的學習自然能分為三大面向：情感表達、技巧訓練，以及文學素養。

「情感表達」是為文章注入靈魂和中心思想的能力，本書上下兩集皆主題式的引導孩子打開五感，觀察日常生活的人、事、物，從書中的思考問題開始，向內探索自我的感受，增加文章的生動性與獨特性。一個寫作技巧再高超的孩子，若缺乏後設思考的感性，充其量也不過就是人人可以複製的筆匠，他的故事不會感動人，他更難以透過書寫享受自我療癒的喜悅。因此師長們可以透過這個增強內省及自我覺察能力的過程，多多引導孩子打開五感，觀察生活中的點點滴滴，能使孩子對寫作「有感覺」，因為是自己的想法、自己的心情，下筆更能有如神助。

「技巧訓練」能為有內容的文字增添質感，例如遠芬老師開發的「五星級造句法」，師長們可以帶著孩子從「事實」的書寫加入摹寫，再用「想像」和「感受」堆疊文采，不僅能妝點文字的韻味，也能進一步帶出孩子對事物深刻特出的觀點。

本書以不同文體提綱挈領，孩子可以先從自己感興趣的主題開始，潛移默化，跟著引導學習寫作的組織架構，先點燃提筆的動機，孩子可以輕鬆愉快的優游作文世界，將寫作的知能與技巧運用得愈發如魚得水。

「文學素養」的孕育對年紀較小的學生而言，比技巧訓練更不容易，因為它仰賴大量閱讀和資料檢索與吸收的能力。本書站在孩子視角的編排方式，能讓孩子透過每一篇短文的練習，一點一滴積累成語運用的實力，無需僵化的背誦，卻能吸取古人智慧精華，學習以更精確的方式表達思想，這個過程能為孩子帶來豐沛的成就感，激勵孩子更強烈的寫作興趣。

這是一套全然跳脫坊間成語教學的全方位寫作學習書，孩子們不但能透過本書主題式的引導開啟敏銳的觀察力、情感的覺察力，更能涵養動人又有質感的文字表達力，讓大人輕鬆教、小孩快樂學，絕對值得師長帶著孩子，大手牽小手，一起試一試！

〔推薦文〕

閱讀寫作齊步走

文／宜蘭縣竹林國小閱讀推動教師 蔡孟耘（小壁虎老師）

作文課在教學現場是屬於恐怖級的魔王，無論老師或是學生只要聽到「作文」，無不「聞風喪膽」。到底寫作該怎麼教？怎麼學？怎麼寫？這套書給了我們方向。

成語是中文特有的語言形式，這些從古代相承沿襲而來，有其典故出處、特定用法的短語，通常能精確的表達深刻的意思。這套書引導孩子將成語運用到寫作上，而且在日常生活的寫作就可以實踐。我最喜歡的是書中除了將類似意思的成語串連起來使用，還在最後的學習指導部分給了孩子語詞寶庫，一次認識多個相似意思的語詞或成語，例如：在範文用了劍拔弩張、火冒三丈、意氣用事，再給孩子形容「氣憤」可以使用的語詞，像是：大發雷霆、怒不可遏、怒髮衝冠、怒氣沖天。如此一來，孩子用範文學寫作時有其他的語詞可以選擇，寫出來的文章將更生動。

寫作最困難的部分在於「無中生有」，要孩子只看題目就寫出一篇文章是不可能的，有的老師會給孩子寫作大綱，但那些大綱並非孩子真實思考產生的，如此寫出來的文章將缺乏生命力。學習寫作要從「親近」它開始，常常寫、不間斷的寫，生活處處皆文章。話是這麼說，但知易行難啊！這套書用小日記作為親近寫作的橋梁，引導孩子從語意完整的段落開始寫作，只要將一件事情寫出來，十分鐘可以完成，孩子容易上手就會願意持續。

小日記持續書寫一段時間後，最明顯的成長就是拿起筆來就文思泉湧，不再腸枯思竭。這時，書中開始引導孩子寫篇幅長一點的生活週記，並且將題材從「我」擴展至家庭生活、校園記趣、經驗體會，透過觀察、收集資料後將想法表達出來。生活週記書寫時，孩子開始會有段落組織的概念，經由這樣的書寫練習，不斷的重整自己的想法再表達出來，最後跟著書的第三部分進到文體寫作練習時，幾乎是無痛接軌了。

我帶班的時候，也是用上述的三個階段帶孩子鍛鍊寫作，只是當時沒有這套書作為指引，只能自己找尋寫作材料、製作寫作講義，甚至還要自己寫範例文章，過程特別辛苦！翻閱這套書的時候，真的很喜歡「參考範文」這個區塊，因為寫作無法「無中生有」，有了參考範文讓孩子從閱讀學寫作，加上「引導發想」的提問，能力好的孩子很容易就能踏上階梯寫出好文章，而能力不佳的孩子也有範文可以參考模仿，如此一來，孩子將不再害怕寫作。

看完這套書後，我的職業病開始發作，如果這套書到我手上，我會怎麼用在孩子身上呢？我提供幾個方向供大家參考：

一、自己修改文章

以小日記第6週〈晚餐時光〉為例：先請學生自行書寫此主題的短文。再閱讀書中的參考範文，可以邊讀邊畫出自己需要的語句。接著，用刪除、插入等符號，用範文的語句來修改自己的文章（提醒學生語句運用要避免抄襲，可稍作修改再用）。透過自己修改文章，孩子學習如何潤飾讓文章更好，也從範文學到寫作方式，將學習的主權交給孩子，老師更省力。

二、組詞成文

以小日記第1週〈開心的生日〉為例：閱讀範文、引導發想完成後，孩子從成語工具箱內挑出三、四個和「開心」有關的成語寫成一篇短文，如此可讓孩子將這些成語靈活運用到文章內。

三、腦力激盪

以小日記第1週〈開心的生日〉為例：老師將參考範文先加工，將成語的部分全部改成「開心」，然後讓孩子想想看是否有可以替換成「開心」含義的成語或四字語詞。如此讓孩子感受同義詞的運用方式，可以避免文章重複枯燥。

每天十分鐘，深度、廣度兼具，技巧、進展皆備，閱讀和寫作可以齊步完成。

目次

生活點滴

課堂學習

環境變化

生活週記

家庭生活

校園記趣

經驗體會

小日記

小日記常是聯絡簿上一個小欄框裡的作業，形式簡單，字數從一百字到數百字不等，讓你記錄下這一天發生的事情和心情感受。

小日記可以訂一個主題，再依照主題書寫內容，也可以沒有題目，自由的抒發。但是因為每天都要寫一篇，或是隔兩三天就要寫一篇，常常讓人有不知道要寫什麼的困擾。

「不知道寫什麼」和「不知道怎麼寫」是寫作上的

兩個大關卡，而破關的方法，可以從小日記練習開始，題材就在我們的日常生活裡，建議從四大方向找起。

第一是「心情感受」，我們在一天之中會發生很多事情，如果一件事引發了你的：歡喜、感動、煩惱、悲傷、氣憤、害怕等等，可以將這些觸動你情緒反應的事情和心情連結，記錄在小日記裡，抒發情感，也保留了一個回憶。

第二是「生活點滴」，寫日記時如果把一整天的活動都報告出來，就太過瑣碎，所以要挑選出一天中比較特別或重要、有意義的事情做紀錄。而如果每天試著去深入觀察或思考一件事情，日積月累下來，也會成為很多寫作的好題材。

第三是「課堂學習」，我們在學校裡的時間很長，上課時學習到新的知識，和老師、同學的相處與互動也很密切，這些在教室裡發生的事情，學習心得與體會，也可以記錄在小日記裡。

第四是「環境變化」，你有留意過天氣的變化嗎？有時陽光明亮，有時烏雲密布，有時下雨。即使是雨天，也有綿綿細雨或滂沱大雨的不同。而隨著季節的轉換，花草樹木和人們的穿著都會展現不同的樣貌。用心留意周遭的環境變化，可以培養我們的觀察力和感受力。

小日記讓我們學習在生活中找題材，經由「觀察、體會、感受、抒發」的步驟，練習把事情表達清楚，為將來的週記、作文奠定基礎。

心情感受

第1週

開(ㄎㄞ)心(ㄒㄧㄣ)的(˙ㄉㄜ)生(ㄕㄥ)日(ㄖˋ)

寫作提示

營養午餐裡有你最愛吃的炸雞、課堂上受到老師的誇獎、下課時同學主動找你玩、回家功課老師只出了一項作業、得到了喜歡的禮物……，生活中，令人愉快的事情很多，覺得開心的時候，你會有什麼動作或表情呢？也可以用比喻法，說說開心時的心情像什麼。

參考範文

今天是我的生日，一進教室，好朋友就笑著走過來，拿出一張卡片和一個角落生物的吊飾送給我。我喜出望外，馬上把禮物掛在書包上，只要看到可愛的小白熊，我就眉開眼笑，心情像陽光般燦爛。晚上媽媽做了我最愛吃的漢堡排，還準備了巧克力蛋糕幫我慶生，讓我樂不可支，在家人和朋友的祝福及陪伴之下，我度過了最幸福、最開心的一天。

引導發想

1 想想看，最近發生了哪些開心的事？

2 你會怎麼形容開心時的樣子？

成語工具箱

1 喜出望外

解釋　形容因出乎意料的喜事而感到特別的高興。

2 眉開眼笑

解釋　形容一個人笑容滿面，開心愉快的樣子。

3 樂不可支

解釋　形容快樂到了極點的樣子。

形容「開心」可以使用——

心花怒放、眉飛色舞、手舞足蹈、歡天喜地、興高采烈、笑逐顏開

第2週

和同學吵架

寫作提示

生氣和開心，是相反的情緒，也是最直接、常見的情緒，什麼事情會引發你的怒氣呢？一個人生氣時，表情會有什麼變化？有什麼反應？周遭的氣氛又有什麼不同？記錄下讓你生氣的事件後，可以再加入事後的反省與思考，想想下次遇到同樣狀況時，有沒有不生氣就能解決問題的方法。

參考範文

今天下課，佑杰很大力的撞到我，我覺得好痛，他卻沒有道歉，我火冒三丈，大聲叫住他，他也高聲回嗆，正當氣氛劍拔弩張時，上課時間到了，我們回到自己的座位。快放學時，佑杰突然走過來跟我說對不起，我也已經沒那麼生氣，我們就和好了。我發現生氣時，先冷靜一下，過一段時間後就會覺得沒那麼嚴重，不要意氣用事的話，就可以減少一些紛爭。

引導發想

1 想一想，什麼事情會讓你生氣呢？

2 生氣過後，問題解決了嗎？除了生氣，還有其他解決問題的方法嗎？

成語工具箱

1 火冒三丈

解釋 形容人被激怒後，十分生氣的樣子。

2 劍拔弩張

解釋 劍已拔出，弓已上弦。形容形勢緊張或衝突即將發生。

3 意氣用事

解釋 形容處理事情憑著自己的情緒和想法，缺乏理智思考。

形容「氣憤」可以使用——

火冒三丈、大發雷霆、怒不可遏、怒髮衝冠、怒氣沖天

第3週 我(ㄨㄛˇ)不(ㄅㄨˊ)怕(ㄆㄚˋ)打(ㄉㄚˇ)針(ㄓㄣ)了(˙ㄌㄜ)

寫作提示

生活中有什麼讓你害怕或擔心的事情嗎？可能是突然發生的單一事件，也可能是你一直以來都很害怕的東西。有害怕的事情或東西並不奇怪，當你感到害怕的時候，都會有什麼反應呢？隨著年齡的增長，你有想過克服恐懼的方法，或是改變想法嗎？

參考範文

今天下午我們班到體育館打流感疫苗，等待的時候我如坐針氈，覺得很緊張，因為我從小就很怕打針，只要一想到打針就不寒而慄。我想起之前在書上看過，其實打針就像指甲戳一下這麼痛而已，而且打疫苗可以保護我們、增加免疫力，於是說服自己放鬆心情，不再提心吊膽。輪到我打針時，發現真的沒有那麼痛耶！這次打針我沒有哭，我覺得自己很棒，不怕打針了。

引導發想

1 你有害怕的事情或東西嗎？是什麼呢？

2 當父母不在身邊時，發生了讓你害怕的事情，你會怎麼面對或處理呢？

成語工具箱

1 如坐針氈

解釋 好像坐在插滿針的毯子上。比喻身心痛苦，害怕不安。

2 不寒而慄

解釋 雖然天氣不寒冷，身體卻一直發抖；比喻因為看到、聽到或想到害怕的事，而感到非常恐懼。

3 提心吊膽

解釋 形容心理上、精神上感到憂心害怕，無法平靜下來。

形容「害怕」可以使用——

毛骨悚然、膽戰心驚、魂飛魄散、驚弓之鳥、餘悸猶存、驚魂未定

第4週

我想說對不起

ㄨㄛˇ ㄒㄧㄤˇ ㄕㄨㄛ ㄉㄨㄟˋ ㄅㄨˋ ㄑㄧˇ

寫作提示

你有沒有犯過什麼錯，或是曾做了什麼讓自己懊悔不已的事情呢？可能在事情發生的當下就知道是自己的錯，但也會有覺得自己只是不小心，又不是故意的情況。犯錯時心情難免不安，也不確定該怎麼面對或處理，比起開心或生氣，心情感受更為複雜，犯錯後那些不好意思說出口的話，都可以在小日記裡抒發表達。

參考範文

今天我偷玩哥哥的遙控車，被哥哥發現了，他氣急敗壞的拿走遙控車，還打我，我也不甘示弱的反擊回去，結果，我們因為打架被媽媽處罰，遙控車也被沒收了。哥哥一直瞪著我，我心裡很難過，但想到哥哥最愛的遙控車因為我而被沒收，他一定更難過，我真是後悔莫及。希望明天他會理我，我才敢和他說對不起，也希望媽媽能把遙控車還給哥哥。

引導發想

1 當你發覺自己做錯事，或惹某人生氣時，心裡會有什麼感受？

2 如果需要向某人表達歉意，你會怎麼做呢？

成語工具箱

1 氣急敗壞

解釋 用來形容十分慌張或惱怒、生氣的樣子。

2 不甘示弱

解釋 形容不想落在別人後頭，表現得比別人差。

3 後悔莫及

解釋 事情發生後再懊悔，也已經來不及，難以挽回了。

形容「後悔」可以使用——

後悔莫及、悔不當初、何必當初、痛悔前非、幡然悔悟

第5週

爺爺，謝謝您

ㄧㄝˊ ˙ㄧㄝ ㄒㄧㄝˋ ˙ㄒㄧㄝ ㄋㄧㄣˊ

寫作提示

仔細想想會發現，我們一天之中，受到很多人的照顧，例如：每天為家人準備好早餐的媽媽，送我們上學的爸爸，教導我們功課的老師，心情難過時安慰我們的朋友。對於這些事情，你可能已經習慣了，但偶爾也要表達一下感謝的心情，謝謝別人對我們的愛護與付出。

參考範文

從幼兒園開始，一直到小學，爺爺每天都風雨無阻的接我下課。帶我回家的路上，不停噓寒問暖，問我冷不冷？餓不餓？還會買想吃的東西給我。爺爺也會在爸爸、媽媽下班回來之前，幫忙照顧我，不管我多頑皮、吵鬧，爺爺都不會生氣，總是和顏悅色的陪伴我，讓我不會孤單。現在我長大了，放學後可以自己回家，但我還是想要爺爺來接我，我最愛爺爺了，謝謝您這麼疼我。

引導發想

1 想一想，生活中有哪些值得感謝的事？

2 這些事是誰為你做的呢？你有什麼感受？想說什麼？

成語工具箱

1 風雨無阻

解釋 颳風下雨也阻擋不住。比喻心意堅定，不管發生什麼情況也不會改變。

2 噓寒問暖

解釋 形容對人的關懷與愛護，非常殷勤周到。

3 和顏悅色

解釋 神色溫和，態度和藹的樣子。

形容「感恩」可以使用

知恩圖報、飲水思源、沒齒難忘、恩重如山、感激涕零、銘感五內

第6週

晚ㄨㄢˇ餐ㄘㄢ時ㄕˊ光ㄍㄨㄤ

寫作提示

一天之中，你最期待什麼時候呢？是去學校看到好朋友？是上最喜歡的課？是下課時間？還是跟家人一起吃飯、閒聊的時光？白天，一家人各自忙著上班、上課，可能只有晚餐時會聚在一起吃飯，這樣的時候有什麼特別的意義？可以利用小日記，寫出一天之中對你來說最重要、最珍惜的時光。

生活點滴

參考範文

一天之中，我最期待吃晚餐，常常在早上上學之前，我就迫不及待的想知道晚餐要吃什麼了。如果是我愛吃的東西，像是咖哩飯或是炸蝦，我整天都會很開心。就算不知道也沒關係，可能會有意外的驚喜。有時候爸爸、媽媽太晚下班，就會叫我先吃，但即使飢腸轆轆，我還是想等他們回來一起吃。我覺得一個人吃飯，再好吃的東西都淡然無味，全家人一起吃飯、聊天，不管吃什麼都美味。

引導發想

1 一天之中，你最期待什麼時候？為什麼？

2 對你來說，這樣的時候有什麼特別的感受或意義？

成語工具箱

1 迫不及待

解釋 形容情況或心情很急迫，無法再等待了。

2 飢腸轆轆

解釋 肚子餓得發出聲音；形容非常飢餓的樣子。

3 淡然無味

解釋 形容清淡沒有味道。

形容「飲食」可以使用——

山珍海味、玉液瓊漿、美饌佳餚、粗茶淡飯、味如嚼蠟

第7週 剪髮記

寫作提示

生活中，有些事情每隔一段時間就要去做，像是長高了，就要買新的衣服、褲子；或是定期檢查牙齒、視力等等。你是怎麼發現，差不多該做這件事情了呢？例如，你多久會剪一次頭髮？每次都剪一樣的髮型，還是會變換呢？即使相同的事情，隨著年紀的不同，眼光和喜好也可能大不相同。

參考範文

最近班上好多同學都剪短頭髮，留瀏海，我覺得很好看，也想剪一樣的髮型，但始終三心二意，無法做決定。昨天終於下定決心，把留了三年的長頭髮剪短。剪頭髮時我的心裡七上八下，剪短後，我自己看起來不太習慣，有點悵然若失。不過今天到學校，好多同學都稱讚我的新髮型，我也越看越滿意，我以後要更勇於嘗試新的造型，不要太害怕改變。

引導發想

1 上一次剪頭髮是什麼時候？剪了什麼髮型？大家看到後反應是什麼？

2 下一次剪頭髮時，想換一個新髮型嗎？你想換什麼髮型呢？

成語工具箱

1 三心二意

解釋 形容意志不堅定，無法下定主意的樣子。

2 七上八下

解釋 形容因為擔心或害怕，而心情起伏不定的樣子。

3 悵然若失

解釋 形容人神情迷惘，好像失去了什麼的樣子。

形容「難以決定」可以使用——

三心二意、優柔寡斷、舉棋不定、猶豫不決、拖泥帶水

第8週

種(ㄓㄨㄥˋ)秀(ㄒㄧㄡˋ)珍(ㄓㄣ)菇(ㄍㄨ)

寫作提示

你有照顧過植物，觀察過植物的生長嗎？一顆種子從播種、發芽、長出枝葉、到開花結果的過程，每個階段都有不同的變化。生活中如果有這樣的經驗，特別是自己親手種植的，可以藉由小日記寫下照顧它的過程以及結果，其中有什麼特別的心得或體會，也可以記錄下來。

參考範文

前陣子學校發了菇菇太空包，長長的袋子裡裝滿了白色的培養土，老師說每天早晚噴一次水，就會長出秀珍菇。我聽了半信半疑，真的會長出來嗎？我每天觀察，不久後，白白的菇冒了出來，生長快速，第五天就長到半個手掌這麼大。今天，我摘下秀珍菇讓媽媽炒給我吃，味道清淡，但我吃得津津有味，第一次吃自己種植的食材，真是太不可思議，植物的生長太神奇了。

引導發想

1 你有親手栽種或摘取過什麼植物嗎？

2 你知道怎麼照顧植物嗎？植物在生長過程中會發生哪些變化？

成語工具箱

1 半信半疑

解釋

有點兒相信，又有點兒懷疑；形容對於事情的是非真假無法判定的樣子。

2 津津有味

解釋

形容東西很有滋味，或是形容對某一事物興趣濃厚。可以用在看、聽、講、吃等方面。

3 不可思議

解釋

形容無法想像，難以理解的奇妙事物或神祕奧妙的道理。

形容「植物」可以使用——

枝繁葉茂、結實纍纍、瓜熟蒂落、欣欣向榮、鬱鬱蔥蔥

第9週 牙齒掉了

ㄧㄚˊ ㄔˇ ㄉㄧㄠˋ ˙ㄌㄜ

寫作提示

生活中，難免有預料之外的突發狀況，像是不小心睡過頭遲到了，沒帶傘時下大雨，或忘了帶課堂用品等等，這時候，你的心情如何？會怎麼做呢？到了快換牙的時候，你會不會擔心不知道什麼時候，牙齒會突然掉下來？也可以用比較的寫法，對比同一件事第一次發生時，和有過一次經驗後，處理方法有什麼不同。

參考範文

前幾天，我發現有一顆牙齒搖搖欲墜，所以吃東西時，我都小口小口的慢慢吃，不敢狼吞虎嚥，怕不小心吃到掉下來的牙齒。今天上數學課時，那顆牙齒突然掉了下來，嚇了我一跳，還好不會痛，只流了一點血。我把掉下來的牙齒用衛生紙包起來，下課時趕緊去漱口。我已經換了一半的牙齒，很有經驗，即使在學校裡掉牙齒，也不會不知所措，可以自己處理了。

引導發想

1 你有遇過突然發生的事件嗎？

2 遇到突發狀況時，你有什麼反應？會怎麼處理呢？

成語工具箱

1 搖搖欲墜

解釋 形容東西或建築物很不穩固，搖搖晃晃快要倒塌或掉落下來的樣子。

2 狼吞虎嚥

解釋 形容吃東西又猛又急，非常粗魯的樣子。

3 不知所措

解釋 形容非常驚慌，不知道怎麼辦才好的樣子。

形容「驚慌」可以使用

不知所措、驚慌失措、手忙腳亂、手足無措、六神無主

第10週

橡皮擦不見了

寫作提示

東西不見了，是人們常有的經驗，你有遺失過什麼物品嗎？發現東西不見時，是什麼心情？找回來後，又有什麼感受呢？弄丟東西時，家人又有什麼反應呢？在短短的小日記裡，加上關於「情節」和「情緒」的描寫，內容就會變得有趣多了。

參考範文

下午下課的時候，我發現新買的橡皮擦不翼而飛，而且從開學到現在，我已經弄丟三個橡皮擦和好幾枝筆了。想到媽媽昨晚才耳提面命要我保管好自己的文具，不要總是糊里糊塗的弄丟東西，我著急得到處找，睜大眼睛仔細搜尋後，才發現原來是滾到角落去了。橡皮擦找回來後，我鬆了一口氣，提醒自己之後要小心一點，東西不見了，媽媽會生氣，我也會很難過。

引導發想

1 你有東西不見的經驗嗎？後來有找回來嗎？

2 發現東西不見了，是什麼心情？失而復得時，又是什麼感受？

成語工具箱

1 不翼而飛

解釋　明明沒有翅膀卻飛走了；比喻物品突然丟失、不見了。

2 耳提面命

解釋　在耳邊提醒，當面告誡；比喻懇切的教誨與叮嚀。

3 糊里糊塗

解釋　形容人做事情不仔細或不明事理的樣子。

形容「消失」可以使用——

不翼而飛、不知去向、無影無蹤、泥牛入海

第11週

我們這一班

寫作提示

一個班級裡有二十幾個同學，從剛開學時的陌生，到幾個月後的熟悉，大家在相處方式上，有沒有什麼變化呢？你覺得班上的氣氛如何？現在發生的事情，通常是過去長時間累積下來的結果，寫到今日的趣事時，也可以試著用過去和現在的變化做對比喔。

參考範文

今天下課的時候，紹弘一直在模仿搞笑，大家的笑鬧聲讓老師都好奇發生了什麼事？還記得剛開學時，同學們都不認識，教室裡總是鴉雀無聲，感覺很沉悶。還好班上有幾個活潑開朗的同學，在他們的帶動下，教室裡變得笑聲不斷，下課時間，大家總是七嘴八舌的聊個不停，常常到上課鐘響了還意猶未盡。我覺得我們這一班感情越來越好，我也交到好幾個好朋友了呢！

引導發想

1 下課時，你都在做什麼呢？

2 下課時間，同學們會做哪些事情，教室裡的氣氛怎麼樣呢？

成語工具箱

1 鴉雀無聲

解釋 形容沒有聲音，非常的安靜。

2 七嘴八舌

解釋 形容人多口雜，意見眾多，大家討論個不停的樣子。

3 意猶未盡

解釋 形容興致或意趣還很激昂，想繼續下去的樣子。

形容「聲音」可以使用——

鴉雀無聲、無聲無息、萬籟俱寂、震耳欲聾、人聲鼎沸

第12週

我是作業長

寫作提示

班級裡，有班長、風紀股長、學藝股長、午餐股長等等，各個科目還有老師的好幫手小老師。你在班級裡擔任什麼職務呢？為了做好自己的工作，需要同學怎麼配合，或是和老師有什麼互動？在這些過程中，如果發生了比較特別的事情，都可以記錄下來喔。

參考範文

開學的時候，老師鼓勵同學毛遂自薦，擔任班級幹部，每個同學都要負責一個工作，我是「作業長」。

作業長的任務是，每天早自習時收齊同學們的作業，整理好後交給老師。老師批改完後，再幫忙發還給大家。今天下午，老師誇獎我工作很細心，表現得可圈可點，原來老師都有注意到，我好開心呀！我很喜歡這個任務，每天都樂在其中，下學期我還想再當作業長。

引導發想

1 你在班級中有擔任什麼幹部或職務嗎？或是想要擔任什麼職務？

2 這個幹部或職務需要負責哪些工作？你會怎麼做，來完成任務呢？

成語工具箱

1 毛遂自薦

解釋　比喻自告奮勇，自我推薦擔任重要的任務。

2 可圈可點

解釋　形容一個人的表現突出，值得嘉許、肯定。

3 樂在其中

解釋　指能從所處環境中，得到樂趣。

形容「表現好」可以使用——

可圈可點、鋒芒畢露、出類拔萃、青出於藍

第13週

我最喜歡的一堂課

ㄨㄛˇ ㄗㄨㄟˋ ㄒㄧˇ ㄏㄨㄢ ˙ㄉㄜ ㄧˋ ㄊㄤˊ ㄎㄜˋ

寫作提示

學校裡有很多科目，包括國語、數學、社會、自然、資訊，還有體育、音樂和美術等等。每個人擅長和喜歡的科目可能不一樣，可以選一個你特別有感想的科目，不管是喜歡的還是不喜歡的；很有學習心得的，或是覺得困難，一直學不會的，都可以藉由小日記，想一想原因，寫下心得。

參考範文

我最喜歡上美術課，因為美術老師總是笑容可掬，指導我們時也很有耐心。今天上美術課時，老師要我們仔細觀察同學的樣子，畫一幅肖像畫，我的作品在老師幫忙修改、增加幾筆之後，有如畫龍點睛般，把同學的特色完全突顯出來了，畫得唯妙唯肖，老師真厲害！我在畫畫的時候，總覺得時間過得特別快，心情也很愉悅，假日時我要再拿出畫筆練習，希望能越畫越好。

引導發想

1 你最喜歡什麼科目？為什麼呢？

2 你有覺得困難，一直學不好的科目嗎？原因是什麼？

成語工具箱

1 笑容可掬

解釋 笑容露出來，好像可以用手捧住。形容人笑容燦爛的樣子。

2 畫龍點睛

解釋 比喻繪畫、寫作文時，在最關鍵的地方加上一筆，使整體更加生動傳神。也比喻做事能把握要點，讓事情更完滿。

3 唯妙唯肖

解釋 形容精細巧妙，逼真又傳神。

形容「繪畫技巧」可以使用——

栩栩如生、活靈活現、唯妙唯肖、躍然紙上、妙手丹青

第14週

學(ㄒㄩㄝˊ)習(ㄒㄧˊ)心(ㄒㄧㄣ)得(ㄉㄜˊ)

寫作提示

我們每天在課堂上讀書學習，累積知識，有沒有聽到或學到讓你覺得非常有道理，在待人處事上很有幫助的事例或話語呢？可以記錄在小日記裡，並加上自己的心得，就是一篇很棒的學習紀錄。這些事例或話語，之後也可以成為寫作文時的「引用」材料喔。

參考範文

今天的國語課，老師教了「己所不欲，勿施於人」這句話，意思是要能將心比心，自己不喜歡、不願意做的事情，也不要強迫別人去做或推卸給別人。我覺得這句話很有道理，也很重要，像是如果我們不喜歡被人取笑批評，就不該這樣對待別人。做事情也別太自私自利，多一點同理心，設身處地為人著想，人際關係才會更好、更融洽。

引導發想

1 最近在課堂上聽到印象最深的故事或話語是什麼？

2 對這個故事或話語，你有什麼心得或感想？

成語工具箱

1 將心比心

解釋 用自己的立場去衡量別人的立場，體會他人的心意，為別人設想。

2 自私自利

解釋 形容做事只謀取自己的好處，而不顧及其他。

3 設身處地

解釋 假設自己處在與他人同樣的情況；形容能為他人著想。

形容「為人著想」可以使用——

感同身受、設身處地、將心比心、推己及人

第15週

校園裡的春天

寫作提示

一年四季你最喜歡哪個季節？從什麼地方發現季節的轉換？打開感官，讓眼睛、鼻子、耳朵、皮膚一起來感受，光是在校園中，春、夏、秋、冬四季的景致就大不相同，像看到花開、聽到鳥鳴、聞到花香，感到微風輕拂而過，展現出的就是春天的季節感。

參考範文

最近天氣漸漸變暖和，上個星期我發現校園裡有一些杜鵑花開了，我每天經過都會停下來欣賞。昨天，我看見整排杜鵑花盛開，奼紫嫣紅的景象真美麗。抬頭看看，冬天裡光禿禿的大樹，最近也長出了綠葉，樹上的小鳥吱吱喳喳，叫聲此起彼落，好熱鬧喔。我覺得，美好的春天不用刻意尋訪，只要看看我們的校園，美景就在咫尺之間。

引導發想

1 你觀察過校園裡哪些地方有種樹、種花嗎？知道是什麼植物嗎？

2 現在是什麼季節？校園裡的花草樹木呈現什麼景象呢？

成語工具箱

❶ 姹紫嫣紅

解釋　花開得嬌美鮮豔；多用來形容春天的美景。

❷ 此起彼落

解釋　這裡起來，那裡落下。形容連續不斷。

---

❸ 咫尺之間

解釋　形容距離很近，彷彿就在眼前。

形容「花開」可以使用——

花團錦簇、姹紫嫣紅、五彩繽紛、萬紫千紅、繁花似錦、百花齊放

第16週 雨後彩虹

寫作提示

你有注意過天氣的變化，晴轉陰，雨轉晴的過程嗎？景色是不是大不相同呢？才剛無聲無息的飄起一陣綿綿細雨，不久之後，雨聲就從滴滴答答、淅瀝淅瀝到嘩啦嘩啦、劈里啪啦了，這些都是形容雨聲的狀聲詞，卻有大小聲的不同，也呈現出雨勢大小，如果能在文章中試著將聲音摹寫出來，會更有臨場感喔。

參考範文

中午過後，原本火傘高張的豔陽天，突然間變得又黑又暗，一陣「轟隆！轟隆！」的雷聲響起後，轉眼間下起傾盆大雨，「嘩啦！嘩啦！」落在地上。我正擔心沒有帶雨傘，放學回家時會被淋成落湯雞，大雷雨又停了。不久後，雨過天青的天空，出現了一道彩虹，我和同學們都興奮的看著天空，有了彩虹，讓藍藍的天變得更美麗了。

引導發想

1 想一想，快要下雨的時候，天氣會有什麼變化？

2 你看過彩虹嗎？看到彩虹時，有什麼感覺？

成語工具箱

1 火傘高張（ㄏㄨㄛˇ ㄙㄢˇ ㄍㄠ ㄓㄤ）

解釋 比喻太陽高掛天空，天氣非常炎熱。

2 傾盆大雨（ㄑㄧㄥ ㄆㄣˊ ㄉㄚˋ ㄩˇ）

解釋 雨像盆裡的水直接往下倒；形容雨勢又大又急。

3 雨過天青（ㄩˇ ㄍㄨㄛˋ ㄊㄧㄢ ㄑㄧㄥ）

解釋 形容下過雨後，天空放晴的景象。也可以用來比喻經過黑暗或動亂之後，情況由壞轉好，重現光明。

形容「雨」可以使用

傾盆大雨、大雨如注、毛毛細雨、狂風暴雨

第17週

寒流來了

寫作提示

外在環境的冷熱變化，也可以透過描述人們的穿著或身體感覺來表達，像寫出大家都穿著背心配短褲，或每個人都包得像粽子一樣，不用特地說明季節，就已經表現出天氣的冷熱了。還有，當你發現到處都看得到耶誕樹，或是走到哪都聽到「恭喜，恭喜，恭喜你」的音樂時，耶誕和新年的節慶感便已經呈現出來了。

參考範文

昨天新聞上說今天有強力寒流來襲，早上一醒來，就覺得特別冷！我躲在溫暖的被窩裡不想起床，在媽媽「不准再遲到」的命令下，才愁眉苦臉的上學去。雖然多穿了一件毛衣，還帶了暖暖包，但一出門，刺骨寒風還是讓我冷到發抖，吐出來的氣都變成白色的煙。進到教室後，才比較不冷，但竟然有同學還是穿著短袖來上課，讓我目瞪口呆，不怕冷的同學好強啊！

引導發想

1 你比較怕冷還是怕熱呢？為什麼？

2 你有注意到天氣特別冷或特別熱時，人們的穿著有什麼變化嗎？

成語工具箱

1 愁眉苦臉

解釋　緊皺著眉頭，神色愁苦，很煩惱的樣子。

2 刺骨寒風

解釋　冷風帶來的寒氣侵入到骨頭裡；形容天氣非常的寒冷。

3 目瞪口呆

解釋　形容因見到奇異的景象或受到驚嚇，神情呆滯的樣子。

形容「寒冷」可以使用——

天寒地凍、冰天雪地、朔風獵獵、雪花飛舞、北風呼號

第18週

停電的晚上

寫作提示

不只是自然環境會有變化，生活環境偶爾也會有變化。現代生活便利，因為有電、有燈，使得夜晚就和白天一樣光明，然而遇到停電的時候，該怎麼辦呢？短時間還好，長時間的話，還真是不方便。生活中遇到這種與平常不一樣的事件，或是特殊情況時，也可以觀察、記錄下來，作為小日記的書寫內容喔。

參考範文

昨天晚上突然停電，家裡一片漆黑，冷氣也停了，我汗流浹背，想開冰箱拿飲料，但媽媽說停電時不可以開冰箱。因為太黑了，我不敢自己去上廁所，一定要媽媽陪著才敢去。停電的晚上，沒有燈光，電器也不能使用，原先熟悉的環境突然變得好陌生，一點風吹草動，我都會害怕。還好一小時後電力恢復，燈也亮了，我才不再膽戰心驚，覺得時間很難熬了。

引導發想

1 你有遇過停電嗎？什麼時候，在哪裡發生的？

2 如果是晚上停電，生活上會受到哪些影響？

成語工具箱

1 汗流浹背

解釋 流了很多汗，背都溼透了。形容天氣太熱或是非常慚愧、驚恐的樣子。

2 風吹草動

解釋 風輕輕吹過，草便會搖動。比喻一點點輕微的變化。

3 膽戰心驚

解釋 形容心中十分驚慌害怕的樣子。

形容「不安」可以使用——

心神不寧、坐立不安、七上八下、如坐針氈、六神無主、草木皆兵

生活週記

「生活週記」介於小日記和作文中間，以一星期的時間為單位，和小日記一樣，以我們生活中看到、聽到、想到、經歷到的事情為基礎。但小日記篇幅比較短，寫作內容有限；週記篇幅比較長，可以選取出更有意義、更特別的事情，把過程中的觀察、經過和體會更深入完整的記述下來。

而和作文不同的是，週記主要還是以第一人稱的「我」為主，寫作比較自由，不過，雖然不像作文那麼嚴謹，但週記的內容一樣要有條有理，清楚流暢。

生活週記可以從三個方向找題材，第一是「家庭生活」，和親人間的活動。小日記通常是從自己的喜怒哀樂，個人經歷開始寫起；寫到週記時，可以擴大到身邊的人，像是從不同於平常上班、上學日的假日家庭活動發想起，與小日記做出區隔。

第二是「校園記趣」，除了在教室裡的學習之外，學校裡還會有許多活動，像是體表會、園遊會、各種比賽和校外教學等等，需要同學們發揮所長，同心協力的完成。趁著記憶猶新的時候，把活動過程和心情記錄下來，也可以成為日後寫作或回憶校園生活時的養分。

第三是隨著成長而來的「經驗體會」，我們在寫作時，常會遇到開放式的命題，例如「以□□為題，寫下你的經驗、感受或想法」，請你在一定的範圍內，自由選擇題材發揮。每個人成長過程中的經驗和遭遇到的事情都不一樣，即使對於同一件事，同樣的風景，每個人也會有不一樣的想法和感受，透過書寫自己的經歷與經驗，也是在學習表達自我。

「小日記」和「生活週記」是很好的寫作練習，透過觀察、收集素材、解讀訊息，在記錄生活的同時，培養出用文字表達自我想法與意見的能力，不只為「寫作文」奠定基礎，也是在建立終生的「寫作力」。

第19週

學（ㄒㄩㄝˊ）做（ㄗㄨㄛˋ）蛋（ㄉㄢˋ）糕（ㄍㄠ）

寫作提示

隨著年紀的增長，不僅學習的科目變難了，家庭活動和家人之間的互動也會有所不同。有什麼事情是小時候父母沒有讓你參與，或是不曾做過的，現在開始讓你嘗試了呢？像是小時候，大人可能怕你燙傷，而不讓你進廚房，現在開始教你簡單的烹調方法；或是試著讓你自己洗碗、洗餐具，這些不只是寫作的題材，也是成長的紀錄。

參考範文

星期六下午，我請媽媽做巧克力蛋糕，媽媽說：「好呀！這次你來當小幫手，我們一起做。」這是我第一次學做蛋糕，不僅可以吃，還可以學到做法，真是一舉兩得，好幸福喔！

媽媽一邊準備烘焙的用具和材料，一邊示範每個步驟。她先在一個小鍋子裡放入奶油和巧克力，再放入大鍋子裡隔水加熱融化。我好奇的問媽媽：「為什麼不直接把小鍋子放在爐子上加熱就好了呢？」媽媽說：「這樣很容易燒焦。做蛋糕不難，但要有耐心，按部就班的把每個步驟完成。」

媽媽請我把蛋、糖、奶油、麵粉攪拌均勻成麵糊後，放進烤箱，設定好時間和溫度，蛋糕出爐時，散發出讓人垂涎欲滴的香味，我等不及啦，立刻大快朵頤，哇！這是全世界最好吃的蛋糕，很快就被我們一掃而空了。

品嚐自己做的蛋糕，太有成就感了。

引導發想

1 你最喜歡的家庭料理是什麼？誰做的？

2 你有和家人一起烹飪過嗎？做了什麼料理？如果沒有，你希望和家人一起做什麼料理呢？

成語工具箱

1 一舉兩得

解釋 比喻做一件事，可以同時得到兩種好處。

2 按部就班

解釋 比喻做事依照一定的層次、步驟進行。

3 垂涎欲滴

解釋 嘴饞得口水都快要流下來了；形容極為貪食的樣子。

4 大快朵頤

解釋 形容盡情享受美食的愉快樣子。

5 一掃而空

解釋 一下子就完全掃除或消滅。

形容「美味」可以使用——

食指大動、津津有味、垂涎三尺、垂涎欲滴

第20週

到爺爺家過節

ㄉㄠˋ ㄧㄝˊ ˙ㄧㄝ ㄐㄧㄚ ㄍㄨㄛˋ ㄐㄧㄝˊ

寫作提示

一年之中有很多重要的節日與傳統慶典，像是農曆新年、清明掃墓、端午節、中秋節等，除了放假，也會有不同的民俗活動，同時，也是和親人們團聚的日子。每逢重要節日時，除了有家庭活動，也常有全家族一起進行的活動或聚會。你喜歡過節嗎？喜歡熱鬧的家族聚會嗎？節慶帶給你怎樣的感受？這些節日又各自有哪些傳統的習俗和儀式？這些都可以成為寫週記的素材喔。

參考範文

　　中秋節這天，爸爸一大早就帶我們回爺爺家。爺爺、奶奶看到我們，高興得合不攏嘴，準備了好多美食。

　　下午的時候，叔叔一家也來了，還帶來了烤肉用具，我們在院子裡舉辦烤肉大會。炭火升起來後，我們把肉排、玉米、甜不辣、豆干等食材放到爐架上去烤，烤肉的香味，讓人食指大動。桌子上還擺著各種口味的月餅，以及許多顆大柚子。好久不見的親戚們聚在一起，大家天南地北的聊天，好開心呀！

天黑之後，月亮出來了，皎潔的月光下，我想起了一些耳熟能詳的傳說故事，例如：嫦娥奔月、玉兔搗藥。現在我知道月亮上沒有空氣，沒有兔子，更沒有仙女，但我還是很喜歡這些故事傳說，讓月亮看起來更美麗。

晚上，我們依依不捨的向爺爺、奶奶說再見。我好喜歡中秋節，有美食，有美景，最重要的是還能享受親人團聚的天倫之樂。

引導發想

1 哪些重要的節日會有家族聚會呢？通常你和家人在哪裡過節呢？

2 節日時和親人團聚，會做哪些事情呢？

成語工具箱

1 食指大動

解釋　看到美食，食指就會不受控制的跳動。形容看到美食而食慾大開的樣子。

2 天南地北

解釋　比喻距離遙遠；或是話題不限，什麼事情都可以聊。

3 耳熟能詳

解釋　一件事情因為常聽到，非常熟悉，能詳盡的說出來。

---

4 依依不捨

解釋　形容非常留戀，捨不得分離的樣子。

5 天倫之樂

解釋　形容家人團聚時的歡樂之情。

形容「親情」可以使用——

天倫之樂、寸草春暉、含飴弄孫、舐犢情深、承歡膝下、晨昏定省

第21週

逛大賣場

寫作提示

週末假日的時候，你和家人們有沒有固定從事的活動呢？像是全家人一起去運動、探望長輩、觀光旅行、打掃整理家務等等，很多家庭也會利用週末到大賣場採購用品。這些屬於家庭成員一起進行的活動，也反映出了家庭生活的樣貌與成員間的喜好。寫週記時，可以選擇一件你常和家人一起進行的事，加入自己的感想心得，作為寫作的題材。

參考範文

週六下午，爸爸常常帶我們到大賣場吃飯和買東西。

大賣場很大，裡面應有盡有，一樓有餐廳、美食街、運動用品店、服裝店等等。我們一家人最喜歡在這裡吃迴轉壽司，看著一盤盤的壽司轉來轉去，望眼欲穿的等著想吃的壽司來到眼前，讓我覺得更好吃了。

吃完飯，我們會去二樓的賣場買東西，我和哥哥都喜歡推手推車，我們會輪流推，媽媽看著事先寫好的清單，採購物品。我和哥哥最喜歡逛文具區和玩具區，爸爸會去看電器和汽車用品，然後我們會一起去零食餅乾區，選一些大家愛吃的點心。大賣場經常推陳出新，每次去都能發現新的擺設或商品。最後我們會去採買肉類、蔬菜、水果、牛奶和蛋等食材，每次都是滿載而歸。

假日時，大賣場裡人潮和車輛絡繹不絕，有時候還要排隊等停車位，但我們還是很喜歡來這裡，一起採買日用品，這是我們家庭活動的一部分。

引導發想

1 假日時，你和家人會一起做什麼事？

2 你最喜歡和家人一起進行什麼活動？為什麼？

成語工具箱

1 應有盡有

解釋 該有的都有；形容所有東西都具備齊全。

2 望眼欲穿

解釋 極目遠望，眼珠都快看穿了。形容心中殷切的期盼。

3 推陳出新

解釋 除去老舊的，創造出新的事物或方法。

---

4 滿載而歸

解釋 裝得滿滿的回來；形容有很豐富的收穫。

5 絡繹不絕

解釋 前後相連，繼續不斷；形容來往的人或車輛非常頻繁，接連不斷。

形容「商品多樣」可以使用——

應有盡有、五花八門、各式各樣、琳瑯滿目、目不暇給

第22週 家庭大掃除

寫作提示

有些家庭的活動不是常態，可能半年或一年一次，像過年的時候要採買年貨，也會大掃除。不同於平日的打掃，大掃除常是全家總動員，洗、拖、擦、整理、收納之外，還會搬動大型家具清掃、回收不再使用的物品等等。除了寫下過程，也要寫寫大掃除之後，家裡的改變和自己的感想喔。

參考範文

快要放寒假了，接下來就是我最期待的新年，週末的時候，我們一家人分工合作，開始進行過年前的大掃除。

媽媽在廚房和餐廳裡洗洗刷刷，爸爸整理客廳，我負責打掃自己的房間。我先把書桌、書櫃上的書本、文具、玩具拿下來，用抹布擦拭得一塵不染。然後整理抽屜和衣櫥，把不再使用的書本、用品和已經穿不下的衣服拿出來回收或丟掉。爸爸或媽媽會來幫我搬動桌子、床還有櫃子，仔細清理平常打掃不到的地方，每次都掃出好多灰塵，還會出現我一直找不到的自動筆、小模型。讓這些消失很久的物品重見天日，是每次大掃除的意外收穫。

打掃、整理好房間之後，我們還要擦洗每一扇窗戶，把地板拖得亮晶晶。大掃除之後，家裡窗明几淨，我覺得連空氣都變清新了，心情也特別好，煥然一新的準備迎接新年嘍。

引導發想

1 什麼時候會全家一起大掃除？怎麼分配工作？

2 大掃除之後，家裡有什麼不一樣？

成語工具箱

1 分工合作

解釋 每個人做好自己負責的工作，共同完成的一件事情。

2 一塵不染

解釋 形容環境非常乾淨，一點灰塵也沒有。

3 重見天日

解釋 脫離黑暗，重新見到光明。比喻脫離困境，重新獲得自由和清白。

4 窗明几淨

解釋 窗子明亮，茶几乾淨。形容居室明亮潔淨。

5 煥然一新

解釋 散發出光彩，呈現出新的氣象、面貌。

形容「家庭或室內環境」可以使用——

一塵不染、窗明几淨、井然有序、美輪美奐、亂七八糟

第23週

姑姑的婚禮

ㄍㄨ ˙ㄍㄨ ˙ㄉㄜ ㄏㄨㄣ ㄌㄧˇ

寫作提示

節慶之外，最熱鬧正式又有儀式感的活動，應該就是婚禮了。結婚的可能是你認識的親戚，或是父母長輩的朋友。如果是你認識的人，在婚禮上的樣子，一定和平時不大一樣。還有每一場婚禮舉辦的地點、會場的布置和活動內容也會不同，但都洋溢著幸福歡樂的氣氛，有機會參加婚禮時，不妨將過程和心得記錄下來。

參考範文

星期日晚上，我們一家人到飯店參加小姑姑的婚禮，會場布置得花團錦簇，門口擺著大大的婚紗照，還有美麗的拱門和各種造型氣球，好多賓客都在那裡拍照。

婚禮開始前，螢幕上播放著新郎、新娘從小到大的相片，還有他們相遇、相知到求婚的過程。之後燈光變暗，伴著音樂，在浪漫的氣氛中，新郎牽著新娘的手走了進來。小姑丈西裝筆挺，玉樹臨風，小姑姑穿著長長的白紗禮服，像仙女一樣漂亮。大家紛紛獻上祝福，說兩人是「天作之合」，整場婚禮充滿幸福與感動。

喜宴的菜色很豐盛，有各種山珍海味，每道菜還取了一個吉祥的名字，像我最喜歡沾滿了花生粉的炸湯圓，就叫「花好月圓」，也有祝福婚姻美好的意思。喜宴進行到一半時，小姑姑換上另一套粉紅色的禮服，向賓客們敬酒，大家都笑容滿面的恭喜新人。

吃完飯後，小姑姑提著裝滿喜糖的籃子，和小姑丈一起送客，拿到包裝精緻美麗的糖果，我捨不得吃，祝福小姑姑婚後能像糖果一樣甜甜蜜蜜，幸福美滿。

引導發想

1 你參加過誰的婚禮？在哪裡舉行？會場上有哪些布置？

2 婚禮中印象最深刻的是什麼事情？

成語工具箱

❶ 花團錦簇

解釋　形容五彩繽紛，繁華美麗的樣子。

❷ 玉樹臨風

解釋　形容男子氣質高尚，才貌出眾的樣子。

❸ 天作之合

解釋　婚姻是天意的撮合，兩人完美相配。常用來祝賀婚姻美滿。

❹ 山珍海味

解釋　水中及陸地上出產的珍奇美味食品；形容飲食的豐盛。

❺ 花好月圓

解釋　花朵盛開，明月圓滿，比喻人事的美好圓滿，常用於婚禮的祝福。

表示「婚禮祝福」可以使用——

天作之合、琴瑟和鳴、白頭偕老、珠聯璧合、比翼雙飛

第24週

園ㄩㄢˊ遊ㄧㄡˊ會ㄏㄨㄟˋ

寫作提示

園遊會是最熱鬧、最受歡迎的校園活動。班上同學們從討論要擺什麼攤位，到一起執行、共同參與的過程，有太多令人難忘，值得記敘的地方。但也因為有趣的事情太多，寫作時最好以自己為主，寫出過程中「你」負責的工作、心情和感想，內容就會清楚有條理，不會跳來跳去或雜亂沒重點了。

參考範文

這學期的園遊會，我們班決定要賣冷飲和茶葉蛋，同學們分成好幾個小組，有人負責煮茶葉蛋，有人負責採買飲料，還有人負責叫賣和收錢記帳。我被分配到製作海報和招牌，我和同學們別出心裁的設計了一個Q版人型大立牌，可愛又醒目。

園遊會當天來了許多家長和同學，川流不息的人潮，把操場擠得水泄不通。因為天氣很熱，我們的攤位門庭若市，冷飲很快就被搶購一空，好吃的茶葉蛋也大受歡迎，很快就賣完了。

我和同學一起去逛別班的攤位，有玩遊戲的攤位，舉辦跳蚤市場的環保攤位，還有賣棉花糖、炸雞排、滷味的攤位。我好喜歡園遊會，有吃、有喝又有玩，還能與不同年級、不同班級的同學交流，校園裡充滿歡樂的氣氛。

隔天結算成果，我們賺了兩千元，大家異口同聲決定用這筆錢舉辦同樂會，又可以開開心心的吃喝一頓嘍！

引導發想

1 你有參加過園遊會嗎？擺了什麼攤位？或是你想擺什麼攤位呢？

2 在園遊會中你負責過什麼工作？要怎麼做呢？

成語工具箱

1 別出心裁

解釋　心中另有構思或設計；比喻獨創一格，與眾不同的巧思。

2 川流不息

解釋　形容行人或車船很多，往來連綿不絕的樣子。

3 水泄不通

解釋　連水都無法流出去；比喻防守得極為嚴密或人潮非常擁擠。

4 門庭若市

解釋　門口和庭院像市場一樣熱鬧；形容上門求見的人很多或是生意興隆，顧客很多。

5 異口同聲

解釋　大家都說同樣的話，表示意見相同。

形容「人多」可以使用——

絡繹不絕、熙來攘往、人山人海、萬頭攢動、摩肩接踵

第25週

考ㄎㄠˇ試ㄕˋ週ㄓㄡ

寫作提示

在學校裡，平日按照課表上課，生活比較沒有變化，但到了考試那一週，從考試前努力複習，考試時緊張不安，到考完後等待成績，短短幾天，心情起伏很大，感受上的差異也變得明顯。而且不只自己，父母和老師對待你的要求和態度可能也不同。對照考試前後自己生活上、心情上和身邊的人不一樣的地方，會發現這一週的變化很值得記錄下來。

參考範文

這個星期是考試週，考試前一天，我的心情很緊張，放學回家後，馬上拿出課本複習。剛開始還不夠專心，吃過晚餐，洗過澡後，我終於靜下心來，心無旁騖的把課本、習作都溫習一遍後，才安心的去睡覺。

考完兩天的試後，感覺如釋重負，同學們臉上也露出笑容，心情輕鬆愉快。我覺得自己考得還不錯，踏著輕快的腳步回家。回到家後，媽媽讓我玩平板電腦，我還看了一部影集，跟考前緊張的氣氛相比，考完試後，可以盡情做自己喜歡的事，好輕鬆，好快樂喔！

考卷發下來後，看到分數，有的同學滿面春風，有的同學哭喪著臉，我這次的成績差強人意，雖然考前專心複習很有用，但有幾題我明明可以答對，卻粗心的看錯題目或寫錯答案，平白失掉了分數。下次考試時我要更細心，寫完考卷後再檢查一次，一定會有更好的成績。

引導發想

1 考試前一天，你的心情如何？通常會怎麼準備？

2 考完試後，心情有什麼變化？最想做什麼呢？

成語工具箱

1 心無旁騖

解釋　形容非常專心，不受外界事物干擾，沒有其他念頭。

2 如釋重負

解釋　比喻解決、完成了重大的任務之後，身心輕快的樣子。

3 滿面春風

解釋　形容人滿臉笑容，喜悅又得意的樣子。

4 哭喪著臉

解釋　形容內心煩憂，表情愁苦、難過的樣子。

5 差強人意

解釋　比喻雖然結果不是最好，但還算振奮人心，勉強讓人滿意。

形容「成績」可以使用——

獨占鰲頭、名列前茅、遙遙領先、差強人意、名落孫山

第26週

體表會接力賽

寫作提示

每年學校都會舉辦體表會，進行各種運動比賽。描寫比賽時，除了寫出場內選手的表現，當下的緊張感與刺激感外，還可以寫一寫之前辛苦練習的過程，和對比賽結果的感想。另外，若能寫出場外觀眾的反應，有了熱情的加油聲與歡呼聲，文章會更精采，就像置身在比賽現場一樣。

參考範文

今天是我們期待已久的體表會，各個班級先到操場上排好隊，聽著司儀的口令陸續進場。在開幕式的擂鼓表演結束後，大家一起跳健康操，接著便開始趣味競賽。

所有比賽中，最緊張刺激的就是大隊接力。體表會前一個月，我們班就緊鑼密鼓的展開特訓，在老師的指導下，練習接棒技巧，培養團隊默契，希望得到好成績。輪到我們上場比賽時，大家都全力以赴，有的同學彷彿有飛毛腿，速度之快讓人望塵莫及。也有的同學跑得比較慢，但一樣努力向前衝。場邊不斷有人高喊「加油！加油！」還有許多家長在拍照、錄影，為我們留下紀錄。

這次的大隊接力，二班一開始就勢如破竹，遙遙領先各班，最後果然奪下冠軍。我們班和四班不分軒輊，但最後還是四班小勝，我們得到第三名。對於這樣的結果雖然有些失望，但在全班同學一起努力練習之後，不僅感情變得更好，還留下了難忘的回憶。

引導發想

1 體表會中，你最喜歡哪一個活動？為什麼？

2 你參加過什麼運動比賽嗎？得到什麼成績？感想如何？

成語工具箱

1 緊鑼密鼓

解釋　鑼、鼓敲得非常密集。比喻在公開活動前密集的準備各種工作或練習。

2 全力以赴

解釋　形容投入全部的心力，努力完成目標。

3 望塵莫及

解釋　只能遠望著前面車馬揚起的塵土，而無法趕上。比喻遠遠落在後面，追趕不上。

4 勢如破竹

解釋　形勢如同劈竹子一般，只要劈開上端，底下自然就會隨著刀勢分開。比喻作戰、工作或比賽順利進行，沒有阻礙。

5 不分軒輊

解釋　比喻兩相比較的結果，實力相當，分不出高下、勝負。

形容「實力相當」可以使用

並駕齊驅、勢均力敵、平分秋色、旗鼓相當、不分軒輊、分庭抗禮

第27週 居家上課

寫作提示

過去，上課學習的環境主要是在學校教室，每天和老師、同學們相處在一起，但現在，遠距教學和線上課程成為一種新的學習方式。你有在家裡上課、線上學習的經驗嗎？熟悉這樣的上課方式嗎？老師教學與同學互動，和在學校相比，有什麼不一樣的地方呢？這些都可以寫進週記裡，成為自己學習過程中一項特別的紀錄喔。

參考範文

以前每天都要到學校上課，我從沒想過，有一天竟然會在家裡上課。剛開始時，我一頭霧水，雖然老師有說明，但我還是不太明白怎麼樣「一個人在家」上課。

居家上課第一天，爸爸幫我設定電腦，登入線上教室，老師已經在裡面等我們了，但還是有很多同學沒辦法連線，一波三折之後，總算大部分的同學都上線了。

透過電腦畫面看著老師和同學，我覺得很奇妙，有的同學穿著制服，正襟危坐；有的同學好像還穿著睡衣，一副心不在焉，很想睡覺的樣子。上課時，老師會在線上點名，要我們回答問題；我們也可以用說的或打字留言，問老師問題。我很快就熟悉如何用電腦在線上學習。

我發現，學習不一定只能在教室裡，不用畫地自限，不管在什麼地方，用什麼方式，只要想學習，到處都可以當作教室。不過整天獨自坐在電腦前有點無聊，我還是期待能快點回到學校，見到老師，和同學一起玩。

引導發想

1 是什麼原因從在學校上課改成在家裡遠距教學呢？持續了多久？你習慣這樣的上課方式嗎？

2 在家裡上課和在學校裡上課，有什麼不一樣？

成語工具箱

1 一頭霧水

解釋 比喻腦中朦朧一片，對眼前的事情無法明白、了解的樣子。

2 一波三折

解釋 比喻事情進行得曲折不順利，變化很多。

3 正襟危坐

解釋 整理好衣襟，端正坐好；形容莊重嚴肅或緊張拘謹的樣子。

4 心不在焉

解釋 心思不在這裡；形容人精神不集中、不專注。

5 畫地自限

解釋 自己給自己設立下界限，不求突破。

形容「學習方式」可以使用——

切磋琢磨、不恥下問、溫故知新、融會貫通、觸類旁通

第28週

校外教學

寫作提示

校外教學是學期中大家最期待的活動之一，帶著興奮的心情，準備好點心和午餐，和同學們分好組，搭乘遊覽車、公車或是走路，到目的地參觀、遊玩。過程中可以記錄下來的事情太多了，不過既然是「教學」，開心遊玩之餘，別忘了也要記下學到了什麼東西喔！

參考範文

這次的校外教學要去動物園，老師要我們四個同學一組，一起行動，互相照顧。出發前一天，我太興奮了，翻來覆去好久才睡著。

第二天早上在學校集合後，我們搭乘遊覽車前往動物園。抵達之後，同學們分組行動，拿著園區導覽地圖，按圖索驥找到想看的動物。許多同學都先衝去看熊貓和企鵝，無尾熊的人氣也很旺，不過我們這組的目標是「昆蟲館」，因為我們都是昆蟲迷。

昆蟲館裡有「生態展示室」和「蟲蟲探索谷」，可以認識很多昆蟲及相關知識。我印象最深刻的是竹節蟲，牠的身體可以模仿周遭環境的外觀及顏色，靜止不動時，看起來就像一根樹枝，要聚精會神的觀察，才找得到牠們。

能一次看到這麼多不同地區的動物，真讓人大開眼界。下午，我們搭上遊園專車回到入口處集合，準備回學校，動物園讓我流連忘返，真希望每個月都有校外教學。

引導發想

1 這學期的校外教學是去哪裡呢？心情和平日在學校上課有什麼不同？

2 這次校外教學，讓你印象最深刻的事情是什麼？學到了什麼？

成語工具箱

1 翻來覆去

解釋　來回翻轉身體，因某種原因無法入睡的樣子。也形容態度反覆多變。

2 按圖索驥

解釋　按照畫好的圖像來尋求好馬；比喻按照線索或資料去尋找、探求。

3 聚精會神

解釋　形容一個人精神集中，專心一意的樣子。

4 大開眼界

解釋　形容人開闊視野，增長了見識。

5 流連忘返

解釋　對某個地方徘徊留戀，沉迷其中，不想離開的樣子。

形容「不想離開」可以使用——

流連忘返、樂不思蜀、樂而忘返、依依不捨

經驗體會

第29週 養倉鼠

寫作提示

看到小動物的可愛模樣，讓人忍不住升起想呵護照顧牠們的心情。在成長過程中，許多人都曾向父母提出要求，想要飼養小動物。然而，不論動物多小，都是一條生命，下定決心飼養前，一定要做好照顧牠們一輩子的心理準備，也要具備相關的知識。照顧動物並不容易，重要的是培養自己負責任的態度。飼養寵物的經驗可以描寫的細節很多，試試看如何化繁為簡，把重點記錄下來。

參考範文

自從在同學家看過他養的小倉鼠後，我就朝思暮想，也好想養一隻倉鼠。在我極力懇求下，上個月爸爸、媽媽同意了，我終於如願以償，可以擁有一隻小倉鼠了。

小倉鼠來到我們家後，我常盯著牠的一舉一動，那圓滾滾、毛茸茸的樣子，好可愛，好療癒喔！倉鼠白天時一直在睡覺，不太活動，我以為牠生病了，在學校裡牽腸掛肚，擔心不已；後來才知道原來倉鼠是夜行性動物，晚上才是牠們活動的時間。

養倉鼠之後，我發現照顧小動物並不容易，要固定餵食，飼料也要控制好分量，還要定時換水和清潔籠子。而且倉鼠很怕熱，要注意室內溫度，不能讓牠直接晒到太陽。還有籠子要關好，以免倉鼠跑出來，不見就糟了。

養倉鼠之前，媽媽和我約法三章，一定要我親自照顧，即使偶爾想偷懶一下也不行。我都有做到，照顧可愛的倉鼠，我可是樂此不疲呢！

引導發想

1 如果可以養寵物，你想養什麼？為什麼？

2 你有實際照顧或餵食動物的經驗嗎？是什麼動物？照顧牠們有哪些訣竅呢？

成語工具箱

1 朝思暮想

解釋　早晨想念，晚上也在思念。形容思念非常深。

2 如願以償

解釋　形容渴望已久的心願或志願，終於得以滿足、實現。

3 牽腸掛肚

解釋　比喻十分操心、掛念，放心不下的樣子。

4 約法三章

解釋　形容事前講清楚條件或訂立法規，讓參與的人共同遵守。

5 樂此不疲

解釋　特別喜歡做某件事，沉浸其中而不覺得疲倦辛苦。

形容「願望」可以使用——

如願以償、事與願違、望梅止渴、化為泡影

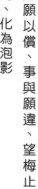

第30週 我的煩惱

寫作提示

新買的運動錶不見了，父母知道後一定會很生氣吧？和同學絕交，要不要主動和好？家裡的大人常在吵架，我該怎麼辦？每個人多少都有煩惱的事情，在描寫自己的煩惱時，與其一直抱怨或覺得自己很可憐、很倒楣，不妨就利用書寫的機會，把心靜下來，想一想有什麼方法能解決或改善你的煩惱。寫作不只是記錄，也能幫助我們進一步思考喔。

參考範文

從小到大，我都覺得自己滿幸福的，很少有煩惱，即使有不開心的事情，也很快就煙消雲散，不會放在心上。但最近我有了煩惱，而且越來越在意。

上小學開始，每學期健康檢查我都拿到「過重單」，以前我不是很在意，現在卻覺得悶悶不樂。為了能恢復標準體重，我開始節食，午餐和晚餐只吃半碗飯，可是很快的，肚子又餓了，忍不住開始吃零食。媽媽告訴我：「你這麼做是本末倒置，應該好好的吃三餐，其他時間不要吃零食，還有你最愛的披薩、炸雞，也要少吃一點。」

媽媽看我這麼在意體重，就幫我煮一些清淡的食物，並要我多吃蔬菜和水果，還把家裡的零食收起來不讓我看到。雖然要忍住不吃喜歡的東西，真的很不容易，但為了將來能變得健康又好看，我一定要堅持不懈，在達到理想體重前，絕對不吃零食、不吃炸雞，以免功虧一簣。下學期我絕對不要再拿到過重單了。

引導發想

1 你的煩惱是什麼？為什麼會造成你的困擾？

2 可以嘗試哪些方法，解決自己的煩惱？

成語工具箱

1 煙消雲散

解釋　比喻事物如煙霧浮雲一樣，很快便消散不見了。

2 悶悶不樂

解釋　形容心情鬱悶，不快樂。

3 本末倒置

解釋　處理事物的先後次序顛倒；比喻不知區別事情的主要、次要、緊急、緩慢等狀況。

4 堅持不懈

解釋　形容意志堅決，完成之前絕不放鬆懈怠。

5 功虧一簣

解釋　比喻事情不能堅持到底，只差最後的步驟而失敗。

形容「煩惱」可以使用——

庸人自擾、自尋煩惱、杞人憂天、坐困愁城、鑽牛角尖

第31週

零用錢

ㄌㄧㄥˊ ㄩㄥˋ ㄑㄧㄢˊ

寫作提示

零用錢來源可能是父母定時給予的，或偶爾來自長輩的紅包、成績優異獲得的獎學金。無論是怎麼得到的，當你領到第一筆可以自己運用的錢時，心情是不是很期待呢？在這個主題中，可以寫出花錢的經驗，以及存錢的習慣。如果還沒有零用錢，就請你想像一下，有零用錢的話會如何使用？當面對經驗不足、不會寫的題目時，不妨換個角度，用「假設有」、「如果可以」的方式，就不怕寫不出來了。

參考範文

以前，每當我聽到同學有零用錢，就好羨慕，今年開始，我終於拿到每個星期五十元的零用錢了。

剛拿到零用錢時，我欣喜若狂，常買瓶飲料或是吃根冰棒，一下子就花掉了。有一次經過文具店，看到一個喜歡的模型，要媽媽買給我，她卻不以為然的說：「現在你有零用錢了，用自己的錢去買。」天呀！我的零用錢早就花光了，更何況這個模型要存好幾個星期才買得起耶！

於是，我開始不再亂花零用錢，而是努力把錢存下來，幾個星期後，終於存夠了金額，買下夢寐以求的模型。這個模型在我心中可是無價之寶，因為是我一塊錢、一塊錢，努力存下來才買到的。

我覺得靠自己存錢買到喜歡的東西，比起以前那些爸爸、媽媽直接買給我的更寶貴，也更加珍惜。有零用錢真好，我也學到積少成多，善用金錢的道理。

引導發想

1 你有零用錢嗎？如果沒有，你會想要零用錢嗎？

2 你希望每個月能領到多少零用錢呢？你會怎麼使用？

成語工具箱

1 欣喜若狂

解釋　形容快樂、高興的心情，已經到了極點。

2 不以為然

解釋　不認為這樣是對的，不同意。

3 夢寐以求

解釋　連睡夢中都在尋找、追求。形容願望非常迫切、強烈。

4 無價之寶

解釋　無法估量價值的寶物；形容極為珍貴的東西。

5 積少成多

解釋　形容數量雖少，慢慢累積之後也會變多。

形容「花錢方式」可以使用——

一擲千金、揮金如土、精打細算、一毛不拔、量入為出、入不敷出

第32週

我(ㄨㄛˇ)生(ㄕㄥ)病(ㄅㄧㄥˋ)了(˙ㄌㄜ)

寫作提示

我們都曾有過生病的經驗，可能是重感冒、或是腸胃炎。生病時我們會覺得很不舒服，身體也會出現許多平時沒有的症狀，影響我們的生活，所以回想起生病的時候，印象應該都很深刻。描寫生病過程時，除了身體感受，也可以寫進生病的原因，和預防再次發生的方法，這樣內容會更完整。

參考範文

星期天晚上，我們剛結束兩天一夜的家庭旅行回到家，我就覺得頭昏腦脹，媽媽以為是我玩得太疲倦，叫我趕快去洗澡、睡覺。

沒想到一進浴室，我就上吐下瀉，還發燒了，媽媽心急如焚，趕緊帶我去醫院掛急診。醫生檢查之後，說我得了腸胃炎，可能是吃了被汙染的食物，或是接觸到病毒，開了一些藥，要我回家好好休息。

整個晚上，我不斷嘔吐和拉肚子，到第二天早上還在發燒，昏沉沒有力氣。媽媽看我平時生龍活虎，現在卻變得弱不禁風，便幫我請了病假，要我在家休息。

媽媽煮了稀飯給我吃，但我沒有胃口，什麼都不想吃。想到前兩天還到處吃喝玩樂，現在真是樂極生悲呀！

生病的時候，整個人都好難受，讓我體會到健康的可貴。以後我一定要勤洗手，注意飲食安全，以免病毒再度入侵，生病實在是太痛苦了。

引導發想

1 你曾經生過什麼病？一開始有什麼症狀？

2 生病時，你的身體感受如何？怎麼治療、痊癒的呢？

成語工具箱

1 頭昏腦脹

解釋　又昏又暈，心思不清楚的樣子。

2 心急如焚

解釋　內心憂慮，有如被火焚燒般；比喻為了棘手的人或事而憂愁、焦慮不安。

3 生龍活虎

解釋　像龍、虎般有活力；比喻活潑勇猛，精力充沛，生氣勃勃的樣子。

---

4 弱不禁風

解釋　形容身體虛弱或瘦小，好像禁不起風吹的樣子。

5 樂極生悲

解釋　形容歡樂到了極點，往往轉而會有悲痛的事情發生。勸誡人行樂要有節制的意思。

形容「生病」可以使用——

良藥苦口、病入膏肓、奄奄一息、藥到病除、諱疾忌醫

第33週 地震驚魂

地ㄉㄧˋ震ㄓㄣˋ驚ㄐㄧㄥ魂ㄏㄨㄣˊ

寫作提示

地震總是突然發生，可能當時正在學校裡上課，可能在家裡睡覺，也可能在餐廳裡吃飯。地震發生時，你是怎麼察覺到的？當震度比較大，搖晃得比較厲害時，你會怎麼應對呢？地震發生時，周遭的環境會有什麼變化？地震發生的時間雖然很短，但對環境和人的心理影響卻非常大，有了防災知識和經驗的累積後，就不至於太驚慌。

參考範文

前天晚上，我在睡夢中感覺到床在搖晃，接下來，搖動的感覺越來越強烈。「啊，地震！」我聽到媽媽在叫，我驚慌失措的抱著枕頭跑到客廳，這時候地震也停了。

但我看到客廳天花板上的吊燈還在搖晃，魚缸裡的水也灑了出來，書櫃裡有些書和裝飾品也倒了。這次的地震好大啊！還好一下子就停了，只是虛驚一場。

媽媽安慰我，叫我不要太害怕，我們在客廳裡待了一下，確定沒有再發生餘震後，就回房間睡覺了。我躺在床上，想到之前看的大地震紀錄片，滿目瘡痍的景象，讓我輾轉反側，擔心了好久才睡著。

我想起學校裡做過的防災演練，老師要我們牢記地震發生時，最重要的就是採取「趴下、掩護、穩住」三個步驟，保護頭部，注意安全。雖然知道，但地震發生時我還是很驚慌，忘記該怎麼做，下次我一定要臨危不亂，確實做好自我保護。

引導發想

1 地震發生時，你有什麼反應？周遭的人有什麼反應？

2 在家或在學校裡發生地震時，你知道怎麼保護自己嗎？

成語工具箱

1 驚慌失措

解釋　形容人驚恐慌張，嚇得不知該如何是好的樣子。

2 虛驚一場

解釋　只是受到驚嚇，而沒有實際遭受災禍。

3 滿目瘡痍

解釋　形容所見到的都是殘破不堪的景象。

4 輾轉反側

解釋　形容因為有心事，翻來覆去睡不著的樣子。

5 臨危不亂

解釋　面臨危難時，能夠冷靜思考，沉著應對不慌亂。

形容「鎮定」可以使用——

不動聲色、不慌不忙、神色自若、從容不迫、若無其事、面不改色

學習筆記

晨讀 10 分鐘系列 046

[小學生] 晨讀10分鐘
用成語，學寫作（上）

國家圖書館出版品預行編目(CIP)資料

晨讀10分鐘：用成語，學寫作（上）小日記、週記／李宗蓓作；蘇力卡繪. -- 第一版. -- 臺北市：親子天下股份有限公司，2022.09
176面；14.8x21公分
ISBN 978-626-305-261-1（平裝）

1.CST：漢語教學　2.CST：成語　3.CST：寫作法
4.CST：小學教學

523.313　　111008765

作者｜李宗蓓
封面繪者｜蘇力卡

責任編輯｜李幼婷、江乃欣
美術設計｜曾偉婷、雷雅婷、陳珮甄
行銷企劃｜林思妤
校對協力｜魏秋綢

天下雜誌群創辦人｜殷允芃
董事長兼執行長｜何琦瑜
媒體暨產品事業群
總經理｜游玉雪
副總經理｜林彥傑
總編輯｜林欣靜　行銷總監｜林育菁
主編｜李幼婷　版權主任｜何晨瑋、黃微真

出版者｜親子天下股份有限公司
地址｜臺北市104建國北路一段96號4樓
電話｜（02）2509-2800　傳真｜（02）2509-2462
網址｜www.parenting.com.tw
讀者服務專線｜（02）2662-0332　週一～週五｜09:00~17:30
讀者服務傳真｜（02）2662-6048　客服信箱｜parenting@cw.com.tw
法律顧問｜台英國際商務法律事務所・羅明通律師
製版印刷｜中原造像股份有限公司
總經銷｜大和圖書有限公司　電話｜（02）8990-2588

出版日期｜2022年 9 月 第一版第一次印行
　　　　　2023年 8 月 第一版第四次印行
定價｜699元
書號｜BKKCI030Y
ISBN｜978-626-305-261-1

訂購服務

親子天下 Shopping｜shopping.parenting.com.tw
海外・大量訂購｜parenting@cw.com.tw
書香花園｜台北市建國北路二段6巷11號　電話｜（02）2506-1635
劃撥帳號｜50331356親子天下股份有限公司
親子天下｜www.parenting.com.tw